KB178248

새벽녘, 그루잠

새벽녘, 그루잠

발　행 | 2017년 04월 18일
저　자 | 주혜민
펴낸이 | 주혜민
펴낸곳 | 주식회사 부크크
출판사등록 | 2014.07.15.(제2014-16호)
주　소 | 경기 부천시 원미구 춘의동 202 춘의테크노파크2단지 202동 1306호
전　화 | (070) 4085-7599
이메일 | info@bookk.co.kr

ISBN | 979-11-272-1485-2

www.bookk.co.kr

새벽녘, 그루잠

주혜민

여태 노래가 되지 못한
내 문장들의 처지處地는
때로 누군가의 밤이 되고
또한 펄펄 끓는 냄비의 받침이 되고
어쩌면 나의 철없는 한때로
금세 잊힐지 모를 일이지만

나는 단지 이름 모를 당신의 억양이 부르는
내 이야기가 듣고 싶었을 뿐이다.

2017년 4월
주혜민

새벽녘, 그루잠

차례

I

Ⅱ

Ⅲ

Ⅳ

I

完根

껍데기만 덩그러니 낳아놓고
도망 쳐버린 여자의 뒤로,
사내의 품에서 태어난 아이는
아비의 극진한 사랑 속에 자라는 동안
단 한 번 여자를 가슴에 그린 적 없었다.
사내의 청춘으로 길러진 아이에게,
제 아비의 존재란 필시 제가 가진 모든 것 중에서도
가장 당연했기 때문이리라.

이윽고 눈 깜짝할 새 어른이 된 아이는
무럭무럭 자라 아비를 배불리고 편히 재울 글을 짓는다.

아이는 커서 내가 되고,
나는 책 속을 뚜벅뚜벅 걸어 나와
평화로운 밤, 사랑한다는 말을
가장 먼저 당신께 선물하고 싶다.

Teleport

창문 밖에 갇힌 채로
얼마를 걸었을까,
다소 평화로운 분위기에
나는 살금살금 아무도 모르게
닫힌 문을 열었다.

밥 짓는 냄새, 분주한 손놀림.
바쁜 뒷모습을 멍하니 바라보다가
점점 더 가까이 다가선다.
언제쯤 돌아올는지,
기다리는 등 뒤에 이미 와있는데.

나는 돌아보지 않는 뒤통수를
물끄러미 들여다보면서
의자에 털썩 주저앉았다.
그리고 마침내 나를 발견하고서
쭉 찢어진 눈매가 땡그랗게 변할 때야,

안녕, 인사 대신
장난스러운 목소리로
순간이동! 하고 소리쳤다.
마치 기적을 본 듯한 얼굴이

내게서 잠시 뒷걸음질 친다.

이내 나를 알아본 입가에
반가운 웃음이 걸리고,
나의 두 볼을 쓰다듬는 손길에
나도 따라 웃음 지었다.
다시 돌아가는 문 너머에서

또한 인사 대신, 뿡!
하고 사라졌다.

가위

잠든 새, 등줄기가 싸늘해지는 느낌에
번쩍 정신이 들었다.
딱히 돌아보고 싶은 마음도 없었지만
손가락 하나 까딱할 수 없었다.
눈만 겨우 데굴데굴 굴리면서
점점 가빠지는 숨을
어쩌지도 못하고
꼼짝없이 헐떡이고만 있었는데,
별안간 저편으로 까무룩 넘어갔다가
다시 돌아온 눈알 너머로
맞은편에 놓여있던
전신거울과 눈이 마주쳤다.
그 안에 비친 나는 분명
쭈그려 앉아있었다.
그리고 나는 나를 내려다보며
몹시 익숙한 낯으로 활짝 웃는다.

나는 이따금 거울을 볼 때
주먹을 꽉 쥔다.
그 거울은 이제 내 방에 없지만
어쩐지 나는 내내 쭈그려 앉아있을 것만 같다.

구김살

나는 옳고 그른 것의 모호한 기준을 이해 못하겠다고 떠들어대면서 남의 잘잘못은 굳이 따져 물어가며 영원히 못 박고, 와중에 내 실수는 인정하고 싶지 않아 잘못을 저지른 다음에는 남에게 고스란히 책임을 전가하는 찌질한 작태가, 때로는 웃어넘기고 말 가벼운 칭찬조차 과분해서 얼굴을 붉히게 한다. 그럼에도 나는 지금의 열등과 방종을 끊임없이 되새김질하고 잇속에 눈이 멀어 상처 주기를 일삼으며 내가 가진 구김살이 당신의 이마를 주름지게 하더라도 늘 그렇듯 내내 후회 속에 살겠지.

그래도 살았으면 좋겠다. 꾸역꾸역 살아내고 지나간 것 따위 아무렴 상관없다고 서로 위로하며 부둥켜안고 소리 내어 울었으면 좋겠다.

밑 빠진 독

나는 밑 빠진 독처럼
채워도 채워도 채워지지 않았고

텅 빈 공허함에 시달리던 어느 날
낯선 감정에 휩쓸려 이성을 잃고 말았던 날

네 생각에 잠겨버린 뒤로는
더 이상 비워지지 않았다

시월

너 우는소리에 잠에서 깬다.
온종일 내 뒤를 졸졸 따르며
한 발짝 멀어질까,
종종걸음으로 내게 와 엉킨다.
내 손발을 핥고
나의 품에 안겨
잠든 숨소리를 들려주는 네가
어쩌면 나를 사랑하는 것이 아닐까.

오늘만큼은 너의 울음을 알아들을 수 없는 것이 기쁘다.

독백

1. 愛

너를 알고, 나도 애(愛)를 가질 수 있다는 걸 알았어.

2. -

네가 있어서 가장 좋은 건 나야.

3. 숨이 턱 끝까지 차올랐고, 더는 버티기 힘들어 네 귓가에 숨기고 싶은 말이 있었다.

너를 좋아하는 것이 곧 나를 좋아지게 한다고.

4. -

우리 관계가 깊어질수록 우리는 더욱 기뻐질 거야.

5. -

사랑해. 그냥 사랑해.

첫사랑

좋아했네 좋아했다는 말로 간단히 설명하기에 티끌 같은
아쉬움이 남을 정도로 좋아했었지 침대 밑에는 여전히
수북한 먼지가 모래알처럼 굴러다녔고 못 본 척 외면하는
것으로는 성난 재채기를 막을 수 없었네 억지로 참다
보면 살갗에 두드러기 돋아났고 비로소 참을 수 없어졌을
때에는 어느덧 자라난 손톱으로 스스로 생채기를 낸
자리에 앉은 딱지를 뜯어내고 흉에 흉을 덧대기를
반복했지 치워버리면 그만인 것을 그냥 두었네 내 몸이
그 공간에 차츰 익숙해질 때야 문득 의문이 들긴
하더라만… 이 많은 먼지투성이 대체 어디서부터 따라
들어왔는지 깊은 한숨 끼쳤더니 훌랑 달아나버리더라
그래봤자 또다시 허락 없이 내려앉을 테지만 말이야

엄밀히 말하자면 사랑에 빠지는 순간은 빛나는 것에
도취해 이미 만연한 불길로 뛰어드는 부나방 같은 모양

어차피 기우는 쪽은 제 몸만 한 과자 부스러기를 등에
업고 담뱃재를 피해 제 갈 길 찾아가는 개미떼 같은 모양

하지만 지른 편이 나올지 질린 편이 나올지 내가 어떻게
감히 대답할 수 있겠나 불과 연기는 진즉 한 몸이었는데

10 8 13

잠든 얼굴에 입 맞추고
색색거리는 숨소리에
귀 기울이려다 그만
완전히 기울어져버린 마음

오래된 냉장고 속에 고개를 처박히더라도
꽤나 참고 버틸 만한 허접한 악취 같은 꼴
더 이상 누군가의 허락을 맡지 않아도
자기 코에 배인 향수가 이미 독한 것이라
좀처럼 차분해질 수 없는 고약한 성질

질기고 집요하고 구질구질한 것들을
끝도 없이 열거하고 분류하면서도
오직 제 입맛만이 만물의 기준이라는 패악과

청춘이라는 이름만 대면
얼마든지 지불할 수 있는 낭만의 값

그럼에도 저의 존재는 그 누구보다
연약하고 미약하며 또한 가냘프다는
앞뒤가 불분명한 논리의 형체

내가 끔찍이 여기는 것들에 의해
끔찍한 죽음을 당하고도 줄창 되살아나는 악몽과
다만 내 아버지와 같은 어른이 되고 싶다는 말로
재단되어버린 나의 성향은 매우 부정적인 편

나는 우악스레 타인의 앉은 자리를
빼앗고도 아무렇지 않을 수 있는
뻔뻔한 민낯을 가졌고
그러니 다른 누구의 위로도 필요치 않는다며
스스로 가두고 자위하는 삶

거울

나는 당신을 거울삼아 반대로 살겠습니다.
“아, 사람이 저렇게는 살지 말아야지.”
매일 아침 세수할 때마다 다짐합니다.

세상에 나보다 더 잘난 이 널렸고,
나만도 못한 인간 흔하다고들 말하지만
그래서 그게 나와 무슨 상관이라고.

나는 그저 당신만을 거울삼아
내 숨이 허락하는 날까지
반드시 당신 반대로만 살겠습니다.

오발탄

폭우 속을 걸었다. 나는 혹 신이 당신의 눈물샘을 잃어버린 것이 아닌가 생각했다. 그게 아니라면 한강만 한 물풍선을 손바닥에 쥐고 놀다 기어코 터트려버렸는지도 모른다고 생각했다. 물길을 걷는데도 화기는 가라앉지 않고 되려 벼락같은 감정의 불똥에 감전된 물고기처럼 덩어리진 불만이 수면 위로 둥둥 떠오르고 있었다. 참을 수 없이 화가 났지만, 막상 꺼내놓을 곳이 없었다. 그래서 내내 걷기만 했다.

궂은 하늘은 점차 난폭한 빗줄기를 퍼부었고 나는 거센 빗소리 뒤에 숨어 참고 있던 욕설을 퍼부었다. 거친 모양의 빗방울이 내 뺨을 때릴 때 환멸이 났다.

분노 가운데에는 역시 "그녀"가 있었다. 분노의 시발점과는 관련이 없었지만, 그녀는 화를 만지는 법을 잘 알았다. 그러니까 이를테면 그녀는 꼭 부채 장수를 했어도 퍽 어울렸을 사람이었다. 집 밖으로는 한 발짝도 내밀지 않으면서 빌어먹을 심지가 널린 실내에서 부채만을 줄기차게 만들어내는 가내수공업자가 그녀의 본래 직업일지도 모른다는 말이다. 그녀는 내가 20년 넘도록 살면서 유일하게 잘못 사귄 벗이자, 신께서 하필 나의 곁으로 조준 실패한 오발탄 같은 여자였다.

시험에 들게 하지 마옵시고,
시험에 들게 하지 마옵시고,
시험에 들게 하지 마옵시고…

나는 비 오는 날 미친년처럼 인적이 드문 길바닥을 전전하며 개종 전에 다녔던 개신교회에서 배운 주기도문의 일부를 줄줄이 외웠다. 폭우에 쓸모없어진 우산이 성난 눈알처럼 뒤집히고 빗줄기는 내 속 깊은 곳까지 젖어 들어 마침내 눈가로 짠물이 줄줄 새기 시작했다. 아, 나는 아마도 화가 난 게 아니라 슬펐던 것이다. 하지만 나는 내가 슬프든 말든 그녀가 울음에 젖은 날 위해 내 몫의 우산을 챙겨 집 밖으로 나와주지 않으리라는 것을 잘 안다. 그녀은 부채 장수가 퍽이나 잘 어울리는 여자이자, 빌어먹을 심지가 잔뜩 널린 공장에서도 오직 나의 불화만을 고집하는 뚝심 있는 공장장이었으니까. 한 치 앞도 보이지 않는 빗길을 두 눈 꼭 감은 채로 내달렸다. 나는 반드시 신의 총알로 다시 태어나 그녀의 심장에 꽂힐 오발탄이 될 것이다.

소지품 검사

남에게 터무니없는 오해를 산 적이 있다.

피 같은 내 돈을 들이진 않았지만, 결과적으로 골이 깊은 오해를 풀기까지 몇 날하고도 며칠씩이나 걸렸으니 당시 나의 정신력과 함께 적어도 수백 시간에 달하는 최저시급 정도의 가치가 공중분해된 것이라 봐도 무방하다.

겨우 그딴 식으로 허비한 시간이 아까웠다. 하늘에 우러러 한 점 부끄럼 없는 인간은 아니었어도 내 멋대로 멋들어지게 살고픈 마음뿐이었는데, 그 '일말의 오해의 소지'라는 것 때문에 한때 '돼먹지 못한 인간'이 나의 전과였다는 사실이 소름 끼치도록 불쾌했다.

나는 그 뒤로 줄곧 곁에다 덫을 놓고 눈치를 살폈다. 물어 뜯겼던 것에 대한 복수심은 아니었다. 마지막 남은 믿음을 지키고자 사방을 경계했던 것이다.

앞 글자를 숫자로 치자면 오해는 크고 이해는 작지만 그렇기에 사실상 소지하기는 이해가 훨씬 편리할 것이다. 나는 당신의 소지품 가운데 부디 이해가 있기를 바란다.

자아도취

예쁜 걸 좋아하는 건 인간의 본능이야.

내 말에 동의를 주고받던 목소리가 떠오른다.
그는 내 진심이고, 혹은 내 초심이다.
알아보지 못한 글자는 때로 보물처럼 여겨지고
조금은 읽기 힘든 나의 악필이 담긴
빼곡한 일기장 안의 수많은 내 이야기들에.

별것 아닌 것들이 모여 별것을 만들어내던 도중에
자음과 모음이 만나서 완성된 한 글자, 한 글자가
무심코 찍어버린 구두점 하나, 하나가
빠짐없이 몽땅 내 것이 된다는 그런 온전한 기쁨에.

예쁜 문장을 만들어내지 못했다는 죄의식은
당초에 이곳에는 없었던 것이고,
다만 수천 장의 일부가 여기에 남는다.
나는 헤아릴 수 없을 만큼 많은 것을 가졌다.
한 줌 부스러기에 불과한 일부를 주면서
으레 '일부에 불과하다'는 표현을 할 수 있기에.

계절

땀 흘리는 안경
눈에 뵈는 게 없는 계절

그 계절에 태어난 나는
유독 따뜻한 것 앞에서

장님이 되곤 했다

당신이 내게 입힌 상처
어깨 껴입고 껴입어도 춥더라니

이런 추위를 타고는
어디로도 갈 수 없고

살을 에는 칼바람이 아파서
차마 멋대로 벗을 수조차 없다

저 멀리 느릿하게 보인다
제아무리 오늘의 해라고 한들
밤이면 꼬박 지고 마는 것이다

어쩌면 나는 줄곧 달이 뜨는 밤이
낡고 해져버린 것들을
이겨왔노라고 믿었는지 모른다

만나자는 말이
헤어지자는 말처럼 들리던 때부터

우리는 얼마나 남았을까
언제쯤 봄이 올까

날씨가 춥다
그래서 싫다

내 눈만 봐도 뒤집어져 곡소리가 절로 나네

갈비뼈를 끄집어 내어 여린 살을 발라 먹고
남은 뼈다귀로는 장구채를 만들어주고 싶다고 고백했다.
그렇담 너 요단강 건널 즘에
내가 신명나게 춤을 춰줄 텐데.

실제로 그렇게 하겠다는 말도 아닌데
너는 미쳤냐고 물었다.
나는 깔깔거리며 웃었다.
어때 보이냐고 물었더니
제정신 아니라며 침을 뱉는다.

왜 그러면 안 되는지,
왜 그렇게 했어야만 했는지.
명확한 기준도, 모호한 경계도 없는 밤이었다.
그저 내키는 대로 주워 담지 못할 것들을
너도 나도 입 밖으로 꺼내놓는 것이 전부였다.

System

나의 세상은 누군가 타인의 가치를 물건처럼 따지고 비교하고 고르는 것이 지극히 일상적인 불합리한 세상, 때에 따라 남을 깎아내리거나 내 재능을 뻥튀기하는 등의 흥정을 하지 않고서는 가차 없이 불량-폐기 처분되는 가판대 위의 나. 나는 언제고 합리적인 소비자였다가도 어느 틈에 팔아먹다 남은 떨이로 둔갑, 십분 재활용되고 마는 것이 저렴하고 유연하기 이를 데 없는 밑바닥의 생리.

희망고문

내가 식어버린 두 손으로
희망고(庫)의 문을 열었을 때
나는 그 안에 갇혀있던
나의 빛나는 미래에
시선을 빼앗기고 말았다.

손만 뻗으면
무엇이든 가질 수 있을 것 같았고,

어떤 것이든
그려내는 족족 이루어질 것 같았다.

그리고 내가 다시
그 문을 열고 나왔을 때,
빛나는 미래 따위는 온데간데없고
내 작은 손바닥에 남은 것이라곤
급하게 식어가는 온기뿐이었다.

나에게 희망이란 언제나
미래를 담보로 꿈을 꾸는 것이었다.
무리해서 빚을 내더라도
한 번쯤 제대로 된 빛을 봐야겠다는

뿌리 깊은 염원.

희망은 내게 꼭 무덤 같은 위로였고,
결단코 지켜진 적 없는 약속이었다.

나는 언제고 그 속에서 억겁의 시간을
뒤로한 채, 깊은 잠에 빠져들 것만 같았다.

몽상가

나는 편안한 의자에
등을 기대고 꼬리뼈를 파묻은 다음
그저 바라볼 거예요

내가 읽을 책 속에서
나는 과연 좋은 사람인지
세상은 얼마나 아름다운 것인지

그런 다음에는
무릎 두 개를 두 팔로 끌어안고
울어버릴 거예요

정든 페이지와 작별하기가
내게는 비오는 날 우산을
잊지 않고 챙기는 것만큼 어려운 걸요

내가 의자에서 일어나
집 밖을 나선다면 그건
나에게 만날 사람이 있다는 뜻이에요

하지만 나는 편안한 의자에
등을 기대고 꼬리뼈를 파묻은 다음

그저 바라볼 거예요

밖으로 잠긴 문이 벌컥, 열릴 때까지
얌전히 기다릴게요

좀 더 자주 와주세요
많이 보고 싶을 것 같아서요

엿

매번 나와의 약속을 까먹는 주제에
배가 부를 만도 한데, 또 만나서 밥이나 먹재.
난 너무 엿 먹어서 이제 씹을 힘도 없는데.

뙤약볕

해가 지면 달뜬 그리움에
만성적인 혼잣말을 중얼거리다,
새로 태어난 볕이 창가를 가로질러
이부자리를 넘볼 때쯤 그 곁에 가 눕는다.

베개 위로 낙엽 같은 추억이 쏟아질 때면
나는 또 오늘이 며칠인지 눈 감은 채로,
얄팍한 기억을 뒤적여 구겨진 옷깃을 붙들고
내게 돌아올 차비를 주머니 속에 욱여넣는다.

먹먹한 가슴이 일렁이는 순간, 귓가에 그림자 지고
충혈된 눈가로 난데없는 소나기 마구 내린다.
네가 머물던 계절은 꼼짝없이 멀었는데,
나는 기다림에 목이 말라 빨래처럼 시들고 만다.

Ⅱ

고인 물

나는 문득 스스로가 마치 얕은 웅덩이에
고인 물이 된 것 같다고 생각했습니다.
사람들은 나를 피해 발길을 돌리고,
나는 하필 볕도 들지 않는 곳에 위치해
서서히 말라가거나, 언제고 마냥
썩어버릴 것만 같은 두려움을 느꼈기 때문입니다.

어느샌가 나도 모르게
비좁은 반지하 방 안에
영영 고여버렸는지도 모르겠습니다.

그런 내가 할 수 있는 일이라고는
기껏해야 지나쳐가려는 발등을
있는 힘껏 적셔놓는 것이 고작이었습니다.

글자

입술만 달싹이다 끝나버린 고백을 어금니로 꼭꼭 씹어 삼키는 동안에 나는 혀끝으로 입천장에다 종내 소리 내지 못한 글자를 몇 번이고 아로새겼다. 와중에 내가 하려던 말은 너무나 단 것이라, 어쩌면 어금니가 몽땅 썩어버릴지도 모른다는 우스운 생각을 했다. 잇새로 더뻑 튀어나온 마음의 찌꺼기를 애써 주워섬기면서 나는 습관대로 차분히 너의 표정을 살폈겠지만

아마 그날,
더딘 걸음으로 왔던 길을 다시 돌아가는 그 새벽에
네 낯빛이 어땠는지 까맣게 잊어버린 것이 틀림없다.

끝내 우리가 되지 못한 둘 사이에
이따금씩 그날과 같은 적막이 이어질 때면 나는
구두점이 없는 글자를 도로 울컥 쏟아낼 것만 같으니…

괴수

왠지 어디서 본 적 있는 것 같은 기시감.
꼭 내 삶이 네 삶을 모방할 것만 같다는 지나친 의심과
이미 여러 번 도둑질 당했던 나의 값싼 하루.
저 끝에선 원망이, 등 뒤에선 동정이
오갈 데 없는 모멸감에 스스로 목을 죄고
녹슬어 낡아버린 내가 사랑했던 그때 내 모습.

내가 지어내고 타인이 완성시킨
나는 단 한 번도 진실된 적 없었고
다른 누구도 아닌 나 자신에게 속아
헛되었던 수없이 많은 날들.

삐뚤어진 믿음이 나로 둔갑하는 한이 있더라도
영원히 내 것으로 기록할 수만 있다면,
그간 좀먹은 슬픔의 씨가 내 안에 뿌리를 내려도
흘린 눈물을 양분 삼아 웃음꽃 활짝 피웠을 텐데.

감정의 세계

감정의 세계와는 영원히 시차가 맞지 않아서
나는 때때로 입을 틀어막고
귀가 없는 사람처럼 행동하곤 했다.

납작 엎드린 채 바닥에 이마를 처박았을 때
고통스러웠던 쪽은 무릎이나 머리통이 아니라
아무것도 끌어안지 못한 가슴께였다.

불현듯 지난밤 꾼 꿈이 머릿속을 스친다.
나는 가장 용기 있는 사람이었고,
또 가장 사랑하는 사람이었다.

그럼에도 불구하고 타인의 감정과는
영원히 시차가 맞지 않아서

내 용기는 그의 다리를 걸어 넘어트리고,
내 고백은 그의 귓전을 아프게 때리고 만다.
또다시 입을 틀어막은 나는
귀가 없는 사람처럼 행동하곤 했다.

꿈

깨어난 것이 절망스러우리만치 행복한 꿈을 꾸었다.
그 집은 내 집이 아니었지만 내 집이었고 너는 언젠가 내
기억 속 살아있던 그때 그 모습 그대로였다.

나는 너와 함께 평화로운 아침을 맞이하고
느긋한 오후를 보내며 아늑한 밤을 지새웠다.

그 집과 너를 제외하고는 어느 것 하나
특별할 것 없는 매일이었다.

나는 먹지 않아도 배가 불렀고
입지 않아도 부끄럽지 않았다.

이제는 그 모든 일이 꿈이란 걸 잘 알지만
구태여 잠들지 않아도
내게 일어난 모든 일이 꿈만 같았다.

너의 표정과 너의 온도와 너의 냄새가
너무 생생해서 눈물겨웠다.

금방이라도 부서질 것 같은 두려움에
문득 입 밖으로 튀어나온 꿈만 같다는 의미 없는 말에

너의 표정은 볼품없이 일그러지고
창가에 앉아있던 눈부신 햇살은 간다는 말도 없이
어디론가 처연히 떠나버렸다.

- 일어나, 돌아가야 해.

- 어딜?

벌건 대낮에 캄캄한 어둠이 두 눈을 감긴 다음에야
나는 비로소 현실의 눈을 뜨고 만 것이다.

선

네 마음의 선을 넘지 못해
하염없이 서성이면서
나 자신보다도 너의 변화에 온 신경이 곤두선 채
저미는 통증에 금이 간 몸뚱어리
웅크리고 전전긍긍하던 날

너의 삶,
너의 화면,
너의 세계,
나는 갈 수 없을 그 어딘가에
이미 내가 있었으면 좋겠다고

오래되어 낡아버린 필름 속 귀퉁이에라도
나 닮은 무언가,
차마 골라내지 못한 가시처럼 걸렸으면 좋겠다고

네 시선이 닿은 곳곳에
내 두 눈이, 두 발이 부리나케 따라붙는다
너의 필름의 길이가 조금만 더 길었다면
나도 너의 기억 속 어느 한편에 추억될 수 있었을까

효도

흔하디흔한 질문이었다.

"돈 많이 벌면 가장 먼저 부모님께 무엇을 사드리고 싶나요?"

꼭 돈을 많이 벌지 못하더라도 사드리고 싶은 것은 많았다. 이를테면 값비싼 전동 면도기, 해상도 높은 독일제 안경 렌즈, 발이 편하다는 유명 브랜드의 신발이나 독서하실 때 편히 앉을 안마 의자, 화질이 좋은 벽걸이 TV, 따뜻하고 부드러운 소재의 옷과 포근한 침대, 한적하고 평화로운 동네의 가장 좋은 집과 가장 좋은 자동차,

세상에서 제일 좋은…
세상에서 제일…
세상에서…

그러니까 쉽게 말하자면,

"세상의 모든 부러움?"

그런데 그런 건 돈을 얼마나 많이 벌어야 살 수 있을까.
나는 갑자기 골몰한 생각에 잠기고 말았다.

말귀

허기가 져서 먼저 먹어버린 왼쪽 귀
휑한 슬리퍼 속에는 식은 발가락

500원짜리 동전으로 두 번 지르는 괴성
합법적인 고성방가

평생 향기로운 사람이 되길 소원했건만
내게서는 종종 지독하게 아픈 냄새가 났다

나는 눈꺼풀을 깜빡이면서
깜깜해진 말귀를 유추하고

머리가 무거워 두 팔을 괴어보지만
뼈마디가 고통스러운 시간
허나 바퀴벌레 같은 생명력으로…
왜 이토록 죽을 것 같으면서도 절대로 죽지 않지?

펄떡이는 심장소리보다 커지는 이명
꼭꼭 틀어막을수록 줄줄 새는 말귀
빙글빙글 도는 천장을 따라
눈을 감았다 뜨는 찰나에 사라져버린 소망

말로 末路

나의 이름은 태어난 그날로부터
지금껏 몇 번이나 불리었는지

그 억양은 어떠했고
그 부름의 이유는 무엇이었는지

당신 기억 속 나는 모두 몇 명이고
오늘은 몇 번째인지

내가 잃어버리고 만 시간들
한자리에 모이면 티끌 같은 세월
지금쯤 몇 살이나 먹었을지

사랑한다는 말은
내게서 언제부터 쓰였고
언제까지 반복할 수 있는지

여태껏 몇 번이나 헤어지고
몇 번을 새로 만나
총 몇 방울 흘렸는지

원래 내게는 없던 무언가
이제 와 소중해진 것은
전부 얼마나 되는지

내가 가진 모든 것들을
몽땅 제 손바닥 위에
탑처럼 쌓아올린다면

그 높이는 얼마를 견디다
언제쯤 와르르 무너져 내릴지

왜 나는 알다가도 모를 것들 앞에
한없이 나약해지고

진짜 버려야 할 것들은
매번 망가지고 말뿐인데
자꾸만 가지고 싶어지는지

Agápē

네가 신이라면 나는 널 신고 멀리 도망칠 거야
네 밑바닥을 까발리고 네 민낯을 갈아버릴 거야
너를 종교 삼아 애타게 빌었지만 들어준 적 없는 기도
그토록 맹신했건만 너는 어째서 소원해진 거야

당신을 너무나 사랑하는 나는
당신네 개집에나마 세 들어 살고 싶어요

개만도 못한 인간이라는 취급을 당해본 적 있다면
지금의 내 기분이 어떤지 이해할 수 있겠지
나는 네 몫의 무덤을 파고 그 안에다 널 사랑했던 나를
파묻을 거야 마지막의 마지막에 네가 돌아갈 곳은 없다고
벌을 줄 거야

내게 총이 있다면 일벌처럼 쏘다니며 꿀 빠는 너를 쏘아
죽일 거야 내가 아니었다면 네가 먼저 날 쏘아 죽였겠지

고요한 밤을 깨부수고 네 세계로 걸어 들어갔던
축복 같은 순간을 이리 후회하게 될 줄이야

머리로 사람을 쏴 죽인 나는 두 발을 잘라내고서라도
다시 돌아갈 거야 발이 없는 나는 아마 네 곁으로부터 천
리는 더 멀어질 수 있겠지

네가 신이라면 나는 널 신고 멀리 도망칠 거야
머리로 사람을 쏴 죽인 나는 잘라낸 발을 네게 바칠 거야

이상하다

이상하지,
내가 되고 싶었던 것이
죽도록 애태웠던 길이 두 갈래라
나는 그다지도 불쌍했던 건가.

이상하지,
창밖이 어두워지고
불을 끌 시간이 이미 지났는데도
나의 불운만은 잠잠해지질 않네.

이상하지,
내 열정은 어째서
불필요한 것에 대해서만 집착하고
여지없이 활활 타오르는 걸까.

이상하지,
쏟아지는 빗줄기에
뛰어들어 맨몸을 차갑게 적셔도
불행은 옅게 기침할 뿐, 꺼지지 않지.

있잖아

있잖아우리는참쓸모없어결코완전할수없지나는너를동정해
위로해껍데기뿐인말로고백해나는아무도안좋아해있잖아우
리는참쓸모없어결코완전할수없지나는너를동정해위로해껍
데기뿐인말로고백해나는아무도안좋아해있잖아우리는참쓸
모없어결코완전할수없지나는너를동정해위로해껍데기뿐인
말로고백해나는아무도안좋아해있잖아우리는참쓸모없어결
코완전할수없지나는너를동정해위로해껍데기뿐인말로고백
해나는아무도안좋아해있잖아우리는참쓸모없어결코완전할
수없지나는너를동정해위로해껍데기뿐인말로고백해나는아
무도안좋아해있잖아우리는참쓸모없어결코완전할수없지나
는너를동정해위로해껍데기뿐인말로고백해나는아무도안좋
아해있잖아우리는참쓸모없어결코완전할수없지나는너를동
정해위로해껍데기뿐인말로고백해나는아무도안좋아해있잖
아우리는참쓸모없어결코완전할수없지나는너를동정해위로
해껍데기뿐인말로고백해나는아무도안좋아해있잖아우리는
참쓸모없어결코완전할수없지나는너를동정해위로해껍데기
뿐인말로고백해나는아무도안좋아해있잖아우리는참쓸모없
어결코완전할수없지나는너를동정해위로해껍데기뿐인말로
고백해나는아무도안좋아해있잖아우리는참쓸모없어결코완
전할수없지나는너를동정해위로해껍데기뿐인말로고백해나
는아무도안좋아해있잖아우리는참쓸모없어결코완전할수없
지나는너를동정해위로해껍데기뿐인말로고백해내가좋아해

잠투정

젊어서 고생은
사서 하는 거라고…?

도무지, 내가 그런 걸
샀을 리 없는데.

새해 복 많이 받으라며,
그런 건 누가, 어디에서 나눠주는데.

"풍성한 한가위"
어떻게 하면 될 수 있고,

다 그렇게 산다는 게
누구나 공평하게 죽어간다는 뜻인지,

밥 한 끼 하자던 "나중"은
대체 언제를 말하는지,

왜 나는 이해할 수 없고,
왜 아무도 설명 안 해주는데.

아름다운 것

환한 냉대
따뜻한 차별
친절한 가식
행복한 갈등
다정한 겁박
향기로운 악취
아름다운 이별

*

이런 것들이
언제부터인가 자연스러워지고
나는 어릴 적 꿈과는
전혀 부자연스러운 인간

나는 이따금씩 "쓸모없다"는
말을 가장 쓸모 있게 만드는 인간

의지 없이도 잘만
살아지는 삶과
점점 사라지는 삶

좁혀진 거리만큼
짧아지는 생명선

깊은 사색思索에 잠기다 못해
사색死色이 되어버린 면면

어디선가 썩는 냄새가 난다 한들
어쨌거나 마음씨 고운 사람들

내가 없으면 빈집이 되고 마는
그 집 현관 앞에서

"다녀왔습니다!"
반기는 이가 없어서 더욱 반가운 인사

0

며칠째 지나치게 무덤덤한 기분이야
어디선가 조각난 말들이 쏟아져도
들을 마음 없는 난
내용도 모르는 애니메이션을 쳐다보지

쳐다본다 아무것도 모르지만 그냥
너도 나를 그런 식으로 보고 있다

찔끔찔끔
요실금이라도 걸린 마냥
무슨 말이 하고 싶긴 한 걸까
왜 내가 외로워 보이기라도 했을까

상상 속 너는 내 침묵을 견디지 못해
요란한 소리를 내며 현관문을 부수고 뛰쳐나가
전봇대를 뽑아다 가려운 이를 쑤신 다음에
가드레일을 들이받고 쓰러질 기세다

전혀 들을 마음 없는 난
내용도 모르는 애니메이션을 쳐다보겠지

왜 떠들어요

나는 인간을 낳아서
사람으로 기를 자신이 없어요.

항상 짧은 머리칼이 언제부턴가
내 정체성을 대신하더니

내가 아니라고 말하는데
다들 기라고 우기네요.

나는 당연한 것에 죄책감을 느끼지만
차라리 몰상식한 인간이 되는 편이 마음 편해요.

내가 원하는 게 무엇인지
귀 기울여준 적이나 있었나요?

나는 아마 나 자신에게
바라는 것을 바라는 때에
바라는 만큼 발하게 될 걸요.

도와달란 말, 하지 않아요.
나는 내가 알아서 잘할 테니까요.

습기

내 마음을 머금은 종이가 눅눅해지고 뒤엉킨 글자들이 빽빽하게 번진다. 애초에 내가 뭘 말하고 싶었는지는 기억이 나질 않고 그냥 이 순간, 언젠가 차창에 서린 습기에 시린 손끝으로 내가 휘갈겼던 네 이름처럼 나 말고는 아무도 읽지 못할 글자를 읽어줄 유일한 사람이 너였으면 할 뿐이다.

마름모

그 애의 종잇장처럼 마른 몸이 바람 부는 날에 아낌없이 휘둘릴 때면 나는 서둘러 내 집에 그 애를 데려다 빨래 건조대에 널어주고 싶다는 생각을 했다. 눈 깜짝할 새 인사조차 없이 어디론가 사라져버릴 것만 같은 그 애를, 어디로든 날아가지 못하게 빨래집게로 단단히 고정시켜놓고자 했었다. 하지만 나는 그럴 수 없다는 사실을 너무 잘 알아서 그저 최대한 곁에서 있는 힘껏 나부낄 수밖에 없었다.

나를 떠난 사람에게

당신에게 처음이자 마지막 편지를 남깁니다.
관심 없으실지 모르지만, 꼭 하고 싶은 말이 있어요.

당신과 보낸 짧은 시간이 몹시 고통스러웠기에
오늘날, 나는 평화의 의미를 깊이 이해하는 사람으로 성장했습니다.

당신의 오점인 나는 대체로 따뜻하고 이성적인 사람으로,
당신이 한때 사랑했던 사람의 사랑하는 딸로,
누구나 그렇듯 평범한 희로애락을 누리며
꽤나 만족스러운 생애를 보내고 있습니다.

혹여나 당신이 늙고 병들어 노쇠해진 어느 날에,
당신의 마지막 죄책감으로 남아있을 나의 존재가
뒤늦게나마 당신 가슴에 절절히 사무친다고 하더라도
더는 내게 욕심내지 마세요.

어린 나의 뺨과 총총했던 두 눈동자와
당신을 찾던 울음과 언젠가 당신 품 안에 안겨있었을지
모를 작은 후회는 그때와는 전혀 다른 이름으로 불리고
있으니까요.

다만 나에게 처음 등을 돌린 그날처럼
나의 그 무엇이라도 그저 목 메일 듯 한없이 그리워하다
일언반구 한 마디 말 없이 떠나주세요.

그럼 이만,
사는 동안 부디 행복하세요.

산책

적적한 냄새가 나는 길 위를
나는 항상 혼자서 몇 번이고 걸었다.
혼자 있어도 혼자 있고 싶었고,
드물게는 함께 있어도 함께 있고 싶었다.
당최 이게 무슨 말인가, 싶겠지만
아무튼 간에 나는 자주 그런 기분이었다.

오가는 길목마다 마주친 사람들,
몇몇은 얼굴이 기억에 남지 않았고
또 몇몇은 이름이 기억에 남지 않았다.
그게 뭐라고 딱히 서운할 일인가 싶다가도
나 역시 누군가에게는 흔적조차 없겠지,
처참해진 마음으로 오늘의 걸음을 재촉한다.

애초에 어디까지 가겠다는 일념 없이,
내킬 때마다 걸음을 옮겨놓는 것이 전부인 산책길.
그러나 나는 그 어떤 길 위에서도 쫓고 쫓기는 듯했다.
뒤도 돌아보지 않고, 어떤 풍경도 눈에 담지 않고
왼발과 오른발의 치열한 다툼 끝에 숨이 찰 때쯤에야
멀거니 뒤를 도는 것이 일종의 습관이었다.

모호 模糊

한데 뒤섞이고 싶은 마음에
어렵사리 말씨를 베낀 뒤로,
어쩐지 내가 어디서 난 누구인지
아무도 묻지 않는다.

나는 주로
"원래 거기에 있던 사람"
혹은
"언젠가 훌쩍 떠날 사람"

만일 내가 하늘이었다면
나는 아마 먹구름 같은 역마를 옆구리에 낀 채
곳곳으로 흘러들었을지 모를 일이다.

다수일 때보다 혼자인 때가 길어지매
이제는 둘 이상이 되는 것이 몹시 어설프기도 한데,
어느덧 돌아갈 내 집이 어디인지 분간할 수조차 없는
착란의 단계에 올라섰다.

나는 보란 듯이 고독을 꼭꼭 씹다가도
어느 날 갑자기, 불현듯, 별안간.

나는 곁에 누구에게나 완벽한 타인,
나는 세상 어디에서나 영원한 이방인이라는
질기디질긴 고립감에 시달려야 했다.

손톱달

너의 손끝엔 휘영청 달이 매달려 있고
그런 네 손을 잡고 싶은 난 자꾸만 센치해져

아무 말 없이 나란히 걷고 있을 때였지 다듬어지지 않은 손톱이 이상하게 귀엽다는 생각이 들더라 지저분하니까 좀 깎으라고 마음에도 없는 잔소리를 하면서 은근슬쩍 너의 손 한 번 잡는 게 내심 기분 좋아서 실은 네가 앞으로도 내 말을 듣지 않았으면 했다

시린 밤공기 들이마시고 별것도 아닌 말에
웃음 지을 때 네 표정이 환한 탓인지
아님 희끗한 달빛 아래 가로등 불 탓인지
네 손끝에 달라붙은 희미한 빛깔마저 고와 보였다고

그렇게 말하는 대신에 그냥 따라 웃기만 했지만
그런 네 손을 잡고 싶은 난 자꾸만 센치해져

지하철에서

지하철을 타다 문득 신기한 마음이 들었다.

내 앞에 저 사람, 내 옆자리에 이 사람, 방금 나를 지나친 그 사람들과 또 내가 지금껏 스쳤던 무수히 많은 사람들. 따로 기별한 적 없이, 바로 십 분 전까지도 만나게 될 줄 몰랐을 텐데, 그저 인사조차 없이 다만 마주치고 말 뿐이지만 이렇게 우연처럼 만나지는 것이 새삼 반갑다.

연락처 속 누군가와는 만나고 싶어도 바쁘단 핑계로 몇 개월째 코빼기도 못 봤는데, 외려 이름 모를 누군가와는 이렇듯 쉽사리 마주칠 수 있다는 것이 아무리 생각해도 신기할 따름이다.

지하철에서 내려 계단을 오르는 동안에,
교통카드를 찍는 찰나에, 집으로 걸어오는 길에
또다시 마주친 이름 모를 사람들 틈에서

어쩌다 간혹 운명처럼 우리가 되었던 것이,
내가 당신의 '우리'라는 사실이 무척이나 기뻤다.

신나는 하루

나는 염소자리 항상 앉던 의자에 앉아
평소 아끼던 시집을 왕창 뜯어먹고
한숨 퍼질러 자다 일어나서도
이해하지 못한 문장들은 소화할 수 없었다

눈을 뜨면 세수도 하지 않고
뛰쳐나가서는 까맣고 귀여운 밤을 만나
반나절을 어울려 놀다가
나를 데리러 온 아침과 함께 귀가했다

그런 것들은 내게 무척이나 신나는 일이었고
나는 나와는 어울리지 않는 것들을
할퀴고 물어뜯으며 어울려보려 노력했다

내가 취할 수 있었던 것은
안주와 같은 배부른 것들뿐이었을 때
나는 종일 내가 느끼고 겪었던 것들을
종이 위에다 일일이 복기하듯 분리수거하곤 했다

남들은 그런 일을 두고 쓸모없는 짓이라고 말했지만
나는 다만 내 기분이 좋으면 그것으로 된 것이라 여겼다

아버지

당신의 살로 이루어진 나는
당신의 청춘을 결코 배울 수 없을 거예요.

온몸 구석구석 빼닮은 당신의 또 다른 나는
당신의 삶을 절대 대신할 수 없을 거예요.

그럼에도 불구하고 나는
사랑스럽다는 말과 가장 가까운 당신에게
당신이 주신 이 세상보다 더 당신을 사랑한다고

나를 위해 자신을 져버린 당신의 부정父情을
감히 이해할 수 없고 부정不正할 길이 없어서
저는 평생을 정체 없이 사랑해왔다고

그러니 당신 인생은
내 생에 가장 값진 보람일 거라고,
나는 자신해요.

야맹증

미처 익히지 못한 길 위에서
갈팡질팡 걸음을 옮긴다.

술에 취해 온 동네 친구 먹고
아무 전봇대에나 어깨를 부비적거리는
번화가의 흔한 취객인 양,

보이지 않는 길 위에서
발자국 소리를 요란하게도 낸다.

돌아가는 길은 내 알 바 없고,
그냥 나는 한 걸음, 한 걸음이 마냥 귀해서

몇 발짝 걸었는지 하나둘, 입으로 세다가
별안간 싱글벙글 입가로 말간 웃음이 샌다.

밤이면 눈이 멀어 가로등 없이
절대 나다니지 말라고 했는데,

온통 시커먼 밤 하늘에 달이 꼭
별만치 조그맣게 떠있다.

사실은 나 그거 보려고,
오늘 달이 너무 예뻐서.

드문드문 가로등 찾아 팔다리 휘적이며
밤바람 사이를 한껏 가로질렀다.

몽중진담 夢中眞談

일어나자마자 너의 안부를 묻는 일이 내 하루의 첫 번째 일과였다. 나는 비몽사몽 눈도 제대로 뜨지 못한 채로, 게으른 나와는 달리 이미 한참 전에 하루를 시작했을 너에게 꾸물꾸물 손가락을 움직여 간신히 문자를 보냈다.

좋아해요.

문자를 보내고 나서야
해야 할 말이 바뀌었다는 사실을 깨달았다.

나는 조금 다급해졌다.
아니, 그게 아니고
그러니까 내가 하려던 말은

잘 잤어요?

재빨리 덧붙인 문자에도 여태 답장이 없다.

너는 그저 웃어넘길까,
그렇다면 나도 따라 웃는 편이 자연스러울까?

아침나절부터 어쩐지 몹시 곤란해졌다.

두 사람

"두 사람" 사이를 띄어 쓰고 갈라놓았다. 빨간 밑줄이 사라지자 마음이 평화로워졌다. 고로 사람인 너희 둘이 "붙어있다"는 건 내겐 강박적 오류이자, 강력한 어페임에 틀림이 없다. 나는 너희 두 사람 사이를 띄어 쓰고 마구 갈라놓는다. 두 사람은 역시 띄어 쓰는 것이 본디 완벽한 맞춤인 것이다. 나는 애초에 법을 어길 성품이 못 돼서 네게 못되게 굴 수밖에 없다. 못된 나를 부디 원망하고 미워해라. 원래 떼려야 뗄 수 없는 정은 미운 곳에서부터 생긴다더라. 나는 너희 두 사람 사이를 띄어 쓰고 마구 갈라놓는다. 나는 애초에 성품이 못돼서 네게 못되게 굴 수밖에 없다.

이명

내게서 나는 소리가
바깥으로 새어나갔으면 좋겠다
내가 얼마나 시끄러운지
의사, 당신이 알았으면 좋겠다

예정에 없던 알람이
두개골을 깨부술 듯이
울리는 시시각각,
나는 갈수록 미칠 것만 같고
입에 쓴 것은 더 이상
몸에 좋지 않다

내가 좋아했던 가수의 노랫소리,
공공장소의 흔한 소음이나
위층 남자의 고함소리,
나의 이름을 불러주는
다정한 목소리와
곧잘 주고받던 간지러운 고백마저
이 시끄러운 지저귐에
산 채로 파묻히고 만다

귓속에 파도가 치면 잇따라 매미가 운다
죽여버리고 싶어, 찢어발기고 싶어

댕댕-
또 귀가 멋대로 울린다
요즘엔 이걸 '멍멍'이라고도 읽던데
진짜 허구한 날 개지랄이 따로 없다

그저 헛소리일 뿐이라지만
누구라도 좋으니 당장에 쫓아 와,
고장 난 귓방망이를 부러뜨려줬으면 했다

장례 희망

성장이 멈춘 어른이 겪는 변화는
전보다 훨씬 더 혼란스럽고 눈물겨우나,
나더러 더 이상 어린애가 아니라고 해서

내가 지금 여기서 울어도 괜찮겠냐고
때마다 애처로운 허락을 구하고 있어.

너는 커서 뭐 될래?

그런 물음은 이제 내 몫이 아니고
다 컸다는 나는 과연 무엇이 된 것일까?

애초에 무언가 되고 마는 것이야말로
내 존재의 이유라고, 도대체 누가 내게 가르쳤지?

어린 내가 희망했던 장래將來가 지금이라면
그럼 이제 내게 남은 건 장례葬禮뿐이던가?

그래,
나는 죽어서 푸르른 나무가 되기를 희망한다.
삶의 짙은 색과는 비교할 바 못 될 만큼
눈이 부시도록 푸른 곳에 묻히기를 희망한다고.

알아듣지 말아줬으면 하는 이야기

눈밖에 난 것들이
아지랑이 춤을 춘다

바삐 따라 걸어보아도

석양도 지고
노을도 신다

같은 말을 여러 번 반복할 뿐이지만

밤에 이기는 건 오로지
감성에 차오른 달뿐일지도 모른다고

어지러운 어순 속에서
피어난 꽃은 그 향기가 없었다

네게

1.

남겨진 게 어찌나 아프던지,
난 요즘 부른 배 움켜쥐고 꾸역꾸역 처넣는다.
내가 남긴 음식이 식어가는 게,
끝내 버려지고 마는 게 꼭 내 모습 같아서.
덕분에 몸은 점점 피둥피둥 살이 올라
너 없이도 혼자 잘 먹고 잘 사는 줄 알겠지만
숨 못 쉬는 갈증에 마음이 갈수록 야윈다.

2.

이럴 줄 알았으면 너 피곤하다 할 때도
억지로 붙들어놓고 실컷 떠들 걸.
난 아직도 할 말이 한참이나 남았는데,
넌 대체 어디서 어떻게 지내는지,
어디로 가면 만나줄지, 어떻게 해야
널 만질 수 있고, 네 목소리 들을 수 있는지.
같이 걷던 산책길 혼자 빙빙이 돌면서
네가 듣고 있는지는 모르겠고 나는 그냥 떠든다.

3.

나와는 또 다른 재능에
너 잘 될 줄이야, 미리 알았지만
이렇게 아예 다른 세상 사람 돼 버릴 줄 낸들 알았겠냐.
너 하나 없다고 이 세상 멈추기야 하겠냐마는…
그래도 네가 없는데, 이제 너는 없는데.
잘만 굴러가는 세상이 나는 아주 조금 못마땅하다.

4.

너는 언제고 영원히 꽃다운 이십 대 청춘에 머물러 있겠구나. 우습게도 나는 올해야 비로소 너와 동갑同甲이 되었는데 말이야. 언젠가 우리 다시 만난 날에,
내가 너무 늙어 꼰대 같으면 어쩌지,
네가 너무 일찍 가는 바람에 촌스러우면 어쩌지…

5.

함께 찍은 사진 속에 너는 정말 살아있다.
그럼에도 변할 수 없는 현실이 참말로 얄궂다.
행여나 긴긴 꿈을 꾸는 건 아닌지, 매일 밤 잠이 들 때야
비로소 꿈에서 깨는 건 아닌지.
네게는 이제 아무런 의미 없겠지만
잠에서 깨어난 아침이 내게는 지독한 악몽 같구나.

불행

우리는 종종 술잔을 기울이기도 전에
누구의 불행이 더 질기고 억센 것인지,
그래서 세상 둘도 없이 불쌍한 놈이 누구인지,
노잣돈 내기라도 걸린 양, 숨넘어갈 듯
각자의 불행에 대해 연설하고는 한다.
그리고 나는 한때, 그런 자리에서
"가장 불쌍한 새끼"였다.

내 불행은 누구도 이길 수 없고,
내 불안은 어떤 것으로도 채워질 수 없으며,
내 불운이 가장 지독한 것이라고.

멍청하게도 나는 그런 식으로 타인의 관심을 좀먹는 대신에 스스로 해괴한 낙인을 찍었던 것이다. 또한 전염병 같은 감정의 늪에서 죽다 살아난 다음에야 알았다.

세상에 사연 하나 없는 사람 없고,
고통에 앓아본 적 없는 사람 없으며,
태어나 울어본 적 없는 사람 없단 걸.

감히 나 아닌 존재의 것과는 비할 수 없을 만큼
누구나 불행했고 불행하며 불행하리라는 것을.

IV

치과 수술 후기

기억대로라면 아마 이런 소리가 반복해서 났을 것이다.

위이잉. 칙칙. 드르릉. 쩍쩍.

마취를 통한 무감각을 단번에 관통한 한계에 가까운 통증에 놀라 구둣발로 발버둥 쳐봤지만 이미 벗어날 수 없었다. 그 순간 나는 인간이 아니라 한낱 깡통에 불과했다. 괴기스러운 진동이 턱뼈를 울릴 때마다 넋을 놓고 그만 기절하고만 싶었는데 그런 와중에도 고장 난 깡통 로봇의 비애를 절절히 공감할 수 있었다. 고쳐지는 게 이렇게 아픈 줄 미리 알았다면 망가진 상태로 내버려 두는 건데… 머릿속으로 다리가 부러져 혼자서는 제대로 서지도 못하던 깡통 소재의 옛 장난감 하나가 불쑥 떠올랐다. 나는 언젠가 그것을 이쑤시개로 쑤셔가며 고쳐주려 애썼다.

망상을 뒷받침하듯 수술이 끝난 후 거울을 통해 들여다본 수술 부위에는 나사못 하나가 정갈하게 박혀 있었다.

자승자박인 것이다. 내가 고장 나지만 않았더라면 이렇게 고통받을 일 또한 없었을 테니… 하지만 나는 반성할 만한 정신 상태가 못 되었다. 할 수만 있다면 긴긴 인생에서 오늘 하루쯤 통째로 도려내고 싶다는 철 못 든 바람만

주야장천 뇌까렸다. 형용할 수 없는 깊은 괴로움에도 차마 이 갈지 못하고 갓 태어난 새끼마냥 연신 앓는 소리만 간신히 낼 뿐이었다.

다시 말해,
내가 아닌 고통의 하루였다.

해로운 친구

나는 밀고 당김이 싫어

그러다 늘어나서 망가져버린다면
깨끗이 빨아 입을 수조차 없고

길어져봤자
어린애 유치 같은 일말의 정이
운명의 끈에 의해 꽁꽁 묶인 채로
뿌리째 말끔히 뽑혀나갈 뿐인 걸

그러니까 보다 솔직해지자면
우리는 서로를 불행하게 만들 자격이 없고
네게는 나를 불행하게 만들 자격이 없어

James

James,

난 항상 너의 건강을 위해 기도해.
우리가 같은 날, 같은 꿈을 꾸었던 걸 기억해야 해.
죽음은 그리 멀리 있지 않아.
아마도 내가 별안간 엉뚱한 타이밍에 너를 떠올리는 것만큼이나 갑작스럽고도 당연한 확률로 언제나 우리 곁에 있을 것이 자명해.

덕분에 혼자가 아니라는 바보 같은 생각을 한 적도 있지.
형체도 없고 체취도 없는 것 따위를 믿어 의심치 않으면서 말이야.

아, 이쯤에서 각설하고.
빨리 만나서 지난번에 약속한 피자 가게에나 가자.
그게 싫으면 오이도 같은 데라도 좋아.
너의 연락을 기다릴게. 사랑해, 보고 싶어.

Dominus tecum

나의 평안이 자라는 곳
나의 불화를 잠재우고
나의 피로를 씻기는 곳

누구도 먼저 손 내밀지 않는 대신
어떤 무엇도 발목을 붙들지 않는 곳
웬만해선 기억 속에 남지 않고
강박에서 벗어날 수 있는 유일한 곳
그러나 결코 나 혼자만 아니라는
나의 환멸이 죽어가는 공간

From Frances,

처음과 같이 이제와 항상 영원히, 아멘.

새 신

내 애정은 연일 비등점을 갈아치우고 있었지만 나조차 간과했던 사실이 있다. 정수보다는 온수가, 온수보다는 활화산처럼 펄펄 들끓는 물이 냉동고에서 훨씬 빨리 얼어버린다는 점이다.

순식간에 방점을 찍고 곤두박질친 감정에 부응하듯 속에서는 분신과도 같은 가래가 마구 들끓는다.
참을성 없이, 조심성 없게도 제 발등 위에다 *카악, 퉤* 뱉어버렸다.

더러워진 발등을 물끄러미 들여다보다간
드디어 신을 갈아 신을 때가 되었구나, 알아챘다.

키

한때 나는 내 몸집이 너무 작아서
내가 보이지 않을 수 있겠다고 생각했다

언제였더라,
제골기를 뼈 사이사이에 끼우고
마음껏 늘리는 상상을 해봤다

책장의 맨 꼭대기 칸을 만질 수만 있다면
응당 감내할 만한 고통이 아닌가, 했었다

빼딱한 구두에나 쓸 법한 제골기를
덜 자란 뼈마디에 끼운 나는
상상만으로 괴물에 가깝다

그런 일은 절대로 있을 수 없겠지
키 큰 나는 오히려 없는 게 낫겠지

낮은 천장에 정수리를 처박을 일도, 문턱에 발가락이 아닌 이마를 찧을 일도 없는 나는 온갖 상상력을 동원해 키가 큰 나를 그려보다 이러는 게 다 무슨 소용인가 싶어 도리질 치며 그만두었다

Teddy bear

당신의 손길은 언제라도 변함없을 것이다.
잠든 아이의 이마를 쓰다듬는 손바닥은 늙지 않는다.

나를 태운 유모차를 밀어주는 손
나를 태운 휠체어를 밀어주는 손

병원 근처 인형 뽑기 기계 앞에서
내가 조르는 바람에 허비한 현금 삼만 원
반짝이는 보라색 파란색 싸구려 곰돌이 한 쌍

이제 돌아가자
아빠 돈 없어

희미하게 낡아버린 기억 속에는
똥고집을 피우는 나와
빈털터리가 된 아빠
보다 못한 가게 주인이 다가와
기계를 열어준다

그가 곰돌이 한 쌍을 건네주자
신기하게도 울음이 뚝 그친다

신이 나서 배꼽을 눌렀더니 알아듣지 못할
언어를 부르는 노래가 흘러나온다

〈아쿠아의 바비 걸〉

인형을 내 손으로 해체한 지
10여 년 만에야 비로소
정체 모를 노래의 주인을 알았다

순진한 눈으로 가위질하던
나를
추억의 증거가 쓰레기로 전락한
날을
후회한다 후회한다

뜨거운 청춘

네가 즐겨 부르던 노래가
오늘따라 구슬프지
감동에 겨워 손뼉을 치니
가장 아름다운 순간에 머무르네

*

네 뒤를 따르던 나 역시도
결국에는 "우리" 모두가

가장 많이 사랑한 날에
가장 아름다운 순간에
영원토록 머무르네

좋다

어두운 방 안의 적적한 공기가 좋다
도대체 어쩌란 말이냐고 짜증을 내도 할 말이 없다

생각에 잠겨 몇 시간이고 시간 낭비를 일삼는 꼴이 좋다
좋아하는 작가의 책만 골라 읽는 날이 잦았다

방해가 되지 않을 정도의 적당한 존재감이 좋다
우리는 우리가 될 수 있지만 네가 내가 될 수는 없다

나를 부르는 단어라면 하물며 병신이라도 좋다
나는 꽤 보편적이지만 아주 틀린 말은 아니라고 본다

내 다리만큼이나 짧은 머리칼과 잘 정돈된 손톱이 좋다
일찍이 성장이 멈췄지만 내게도 꾸준히 자라는 것이 있다

차분한 말투로 마주 앉아 대화를 나누는 것이 좋다
침묵이며 눈빛이나 손짓을 주고받는 것도 나쁘지 않다

말을 어떻게 끝맺어야 할지 몰라 두서없이 나불대는 것이
좋다
실은 지금도 이 얘기를 어떻게 마무리하면 좋을지 모르겠
다

새벽녘, 그루잠

하룻밤 사이 열 편의 꿈을 꾸면
그중 한 편은 어김없이 그리워졌다.
정신이 들고 나면 죄 잊힐까,
한 편의 꿈이 끝날 때마다 깨어나
메모하는 습관을 들였다.

어느 날, 잠에서 깨어난
나는 낯선 메모를 읽게 되었다.
눈에 익은 글씨로
전혀 모르는 이야기가 쓰여 있었다.

당시에 꾼 꿈에 대한 기록이 아니라
꿈의 서술자가 내게서 남긴 글이었다.
그리 곱지 못한 잠버릇으로부터
이야기는 벌써 시작되었던 것이다.

거의 매일 숙면하지 못하고
매번 노루잠이나 그루잠을 자면서도
막상 잘 밤이 되면 절로 가슴이 설레었다.

답장하는 방법을 몰라,
억지로 잠드는 것이 고작이었지만

나와 서술자는
그런 식으로 가끔 대화를 나누었다.

한밤중일 때도 있었고
한낮일 때도 있었다.

무슨 말인지 알아들을 수 없거나
어떤 글자인지 알아볼 수 없을 때도 있었지만
이야기는 줄곧 새벽녘마다 이어지고 있다.

*

「변하지 않는 사계절의 굴레 속에 난 너와 함께 있어」
- 16. 5. 1.

「내일은 꼭 잊자고 다짐해도 자고 일어나면 또다시 오늘인 걸 꿈속의 너는 여전한 모습 그대로 어제의 그리움을 아침 해와 잇는 것」 -16. 8. 3.

「우리 사이에는 보다 깊은 이해가 있어」 - 16. 8. 22.

「단 한 번 귀중한 삶이 나의 곁에 잠시 머물다 가길」 - 17. 4. 12.

개화기

당신이 궁금했어요.
얼굴을 몰랐거든요.
이름은 무엇이고, 나이는 몇 살인지
나는 아무것도 몰랐어요.
그래서 궁금했어요.
내가 아는 게 하나도 없어서요.

지금 어디에 있고, 무엇을 기다리는지.
내가 도와줄 수 있는지,
나는 할 수 없는 일인지.
알려주세요, 알고 싶어요.

꽃향기를 맡고도 아무런 생각이 없었어요.
작년 오늘에도 나는 그랬을 거예요.
꽃이야, 피든지 말든지
나는 지는 게 너무 싫었거든요.

그런데 오늘은요,
시들어버린 꽃이 너무 불쌍해서
보라색 장미꽃 아홉 송이 접었어요.
향기는 없었지만 그럭저럭 봐줄 만했어요.
아, 네. 예쁘더라고요, 분명히 예뻤어요.

Slow motion

발가벗은 시선 너머로 움직이는 모든 것들이
내게서 멀어지던 순간의 너와 똑 닮아있다
정면에서 뒤통수를 내밀고 뒤로 걷는 사람들

일종의 착시 현상은
하필이면 작별의 그 날로 되감기 중

이내 근접한 시야로 접어든 너희들은
당연히 네가 아니고
착각인 줄로만 착각했던 것이 가장 큰 착각이었다

리모컨을 쥐고 되감기 버튼을 누른다 한들
달라질 결말이 아니란 걸 빤히 알고 있음에도
극적인 순간을 다시 마주할 수 있다는 것만으로
나는 아주 잠깐 필름 속 너를 깊이 향수享受했다

다시는 만나지 말자고 이별한 날이 있었지만
내일 또 만나자며 작별한 날이 더 많았다

그러므로
오늘은 틀림없이 특별한 하루가 될 것이다

꿈 대신에 불면을 이루는 밤 때문에
책상 위에다 곱게 벗어놓고 온 안경 때문에
제2막이 올 거라고 내기를 거는 기대감 때문에

내게 일어나는 모든 일이
이별을 기약한 작별이라고 생각할게

배신자

네 마음속에
서툰 위로를 심고
열띤 응원을 심고
깊은 우정을 심고
때때로 요긴하게 쓰일지 모를
연민과 동정까지는 어떻게든 심을 수 있었는데
정작 가장 중요한 진심은
너의 어느 곳에도 심을 수 없으니
어딘가 꼭꼭 숨길 수밖에 없구나

나는 깨닫는다

내 진심이 때로는
네 뒤통수를 후려치고
우리가 함께였던 세월을 망각케 할 만한
배신이 될 수도 있겠구나

내 흔적을 심어놓은 자리에
뜻밖의 원망이 자라날 수도 있겠구나

하지만 나는 최악最惡이 되기보다는
차악次惡으로나마 네 곁에 남기를 원한다

네게 미움받고 싶지 않아서
도저히 너와 떨어질 수 없어서
케케묵은 진심을 이곳에 숨기고
앞으로도 나는 너의 뒤통수를 위하는 척
나의 알량한 진심을 위해
최선을 다해 너를 배신할 참이다

정말이지
지나치게 이기적인 삶이다
언제나처럼

나는 타인

나는 네가 아끼던 신발을 신고
네가 자주 걷던 길을 걸을 것이다

오늘의 나는 당연히
어제의 나와 다르겠지만

내 존재는 애당초 없던 일처럼

다른 사람의 기분으로
하루를 보냈다

그는 나와 많이 닮아있지만
원래의 나와는 거리가 먼 사람

그는 계단을 오르내릴 때 숫자를 세고
신호를 기다리는 동안 숫자를 센다

그의 앞으로 막 여덟 번째 택시가
지나치려는 순간에

신호가 바뀌었지만
그는 건너지 않았다

건너편에서 걸어오는 사람들을
반가운 얼굴로 맞이할 뿐이다

손 한 번 흔들어주는 이 없지만
기다렸던 사람을 만나기라도 한 듯

그의 기분은 좋아 보였다
그의 표정은 밝아 보였다

내 집에 돌아온 그가
내 신을 벗고
내 옷을 가지런히 갠다
내 이를 닦고
내 몸을 씻은 그가
내 옷을 갈아입은 뒤에
내 침대에 벌렁 드러누워
내 눈을 감을 때까지

나는 그저 내게 타인이었을 뿐이다

너는 나의 서울

너는 나의 서울,
길치인 너를 따라 길을 잃고 헤매는 날마다 즐거웠어.
지도에는 있지만 우리는 찾지 못하는 길 위에서 찾아낸
뜻밖의 카페가 좋았고, 다시 오자고 약속해놓고 역시나
다시는 찾지 못해, 몇 번이고 새로운 아지트를 찾아내며
도저히 예상할 수 없는 경험을 하게 되는 날들이 좋았지.

네가 좋아해서 내가 좋아하게 된 음악이나 영화도 매번
나를 기쁘게 했고, 한때는 우리가 함께 보낸 밤낮이 모여
나이를 먹어간다는 사실에 들뜨기도 했었지.

이제는 내 취향이 되어버린
너의 흔적들을 누군가 배워가기도 해.
신기하고도 흥미로운 일이 아닐 수 없지.

4년 전, 우리가 활개 치던 동네의 냄새는 아직도 뇌리에
선연하고, 어쩌다 마주친 낯선 이에게서 그날의 냄새를
맡게 되면 노력하지 않아도 그 시절의 우리가 눈앞에 저
절로 재생되곤 해.

술에 취해야만 네게 말을 놓던 나는
어느덧 반말이 훨씬 편해졌고,

한겨울에도 끼고 살던 크루저 보드는
너 다친 후로 탄 적이 없더라.
함께였던 공연장, 술집, 카페, 2층 203호…
변해가는 것들 틈에서도 여전한 우리가 좋아.

있잖아, 가끔은 우리가 좋아했던 만화책 시리즈와 네가 끓여준 순두부찌개만 있으면 아늑했던 그 계절로 다시 돌아갈 수 있을 것만 같은 착각이 들어. 내게는 언제라도 기꺼이 발길을 돌릴 만한 추억이었으니…

하지만 이미 지나가 버린 날보다는 당장에 오늘이 더욱 멋진 하루가 됐으면 좋겠다.

오늘도, 내일도 또 모레도 그리고 매일매일
나는 우리가 되도록 눈부시게 행복했으면 좋겠어.

씨앗

못 박힌 듯 우두커니 서 있었다.
네가 내 발등 위에다 심어놓고 간 씨앗 때문이었다.

오늘은 일찍 귀가할 생각이었는데
조금만 더 있다 가야지, 마음이 쉬이 바뀌었다.

한동안 사색에 흠뻑 젖은 몸으로
나는 나도 모르는 새 너의 씨앗을 키웠다.

계절이 바뀌니 입술이 부르튼다.
다디단 열매가 맺힐 거라 기대하진 않았지만
흔한 꽃봉오리 하나 열리지 않았다.

나는 정체 모를 너의 씨앗이 새싹을 틔우고,
넝쿨처럼 내 발목을 휘감는 동안에도 마냥 서 있었다.

이 싹이 무럭무럭 자라 내가 나무가 된다면
그늘 아래 사랑하는 사람들을 품어다 재울 생각이었다.

하지만 개중에 너는 돌아올 기미가 없고
무성해진 의심은 가을 낙엽으로 나동그라진다.

너의 씨앗은 가지 많은 나무로 성장하고 말았다.
말 많은 내가 성가시다며 누군가 나를 베어다
꽤나 쓸 만한 종이를 만들어냈다.

나는 덕분에 인간의 몸을 되찾고
꽤나 쓸 만한 종이에다 나의 씨앗을 심는다.

보거든 키워내라 내가 그랬던 것처럼
읽거든 틔워내라 내가 그랬던 것처럼
그리고 답장해라 내가 그랬던 것처럼

짐

1.

내 어깨를 마구 짓누르는 보따리 안에는
내가 못내 사랑하는 것들,
내가 제일 좋아하는 것들,
내가 가장 아끼는 것들이
한가득 들어있지.

나는 알아.
그냥 팽개치고 싶다가도
나는 결코 내려놓지 못 해.

2.

오늘 당신이 들었던 건,
내가 마음으로 쌓아올린 짐이에요.
들어줘서 고마워요.

디자인 · ♡도희♡